# 2 Mon kit de survie (pages 10–11)



**1** Match the words below to the items in the pictures t…

**1** J'ai un 

**2** J'ai un 

**3** J'ai un 

**4** J'ai des 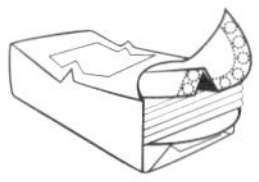

**5** J'ai un 

**6** J'ai des 

**7** Je n'ai pas de 

**8** J'ai un 

**9** Je n'ai pas de 

**10** J'ai une 

**12** Je n'ai pas de 

**13** J'ai des 

**14** J'ai une 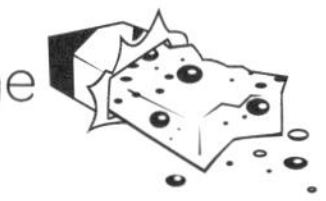

| | |
|---|---|
| ***j'ai …*** | *I have …* |
| ***je n'ai pas de …*** | *I don't have a/any …* |

*barre de céréales* · *kleenex* · *crayon* · *gourde* · *chips* · *magazine* · *lunettes de soleil* · *portemonnaie* · *portable* · *appareil photo* · *miroir* · *jeux vidéo* · *bâton de colle* · *clé USB*

1 m
2 o
3 n
4 k
5 i
6 t
7 d
8 e
9 s
10 u
11 r
12 v
13 i
14 e

**1** Unjumble the words to find out what these characters are like. Use the words in the box below to help you.

| *assez* | quite |
|---------|-------|
| *très* | very |

Je suis assez **rxeiucu** _____ et je suis très **iegtln** _____ .

Je suis assez **nhéebrac** _____ et je suis très **smdeeot** _____ .

Je suis assez **hratnmac** _____ et **eôdrl** _____ et je suis très **iplo** _____ .

Je suis assez **englenitliet** _____ et je suis très **gnrueseéé** _____ .

| drôle | charmant | curieux | intelligente |
|-------|----------|---------|--------------|
| modeste | généreuse | poli | gentil | branchée |

**2** Complete the table with the correct forms of the adjectives from the box below.

| English | masculine | feminine |
|---------|-----------|----------|
| charming | | charmante |
| trendy | branché | |
| | petit | |
| | drôle | drôle |
| | généreux | |
| | | gentille |

**Studio Grammaire**
Most adjectives have a different feminine form ...

| masculine | feminine |
|-----------|----------|
| intelligent | intelligen**te** |
| curieux | curieu**se** |

... but some stay the same:

| modeste | modeste |
|---------|---------|

| funny | generous | small | nice | branchée | charmant |
|-------|----------|-------|------|----------|----------|
| gentil | petite | généreuse | | | |

**1** Underline the words for colours in each sentence.
Use the sentences to colour in the hair and eyes in the picture.

**a**
Il a les yeux marron.
Il a les cheveux noirs.

**b**
Elle a les yeux verts.
Elle a les cheveux roux.

**c**
Il a les yeux bleus.
Il a les cheveux bruns

**2** Find and circle three sentences in the wordsnake below.
Write each sentence under one of the pictures in exercise 1 above.

*ilalescheveuxcourtsellealescheveuxlongsetraidesilalescheveuxmi-longsetfrisés*

**3** Complete the pictures of the criminals in the e-fits below. Draw other details to match each description.

**On recherche**
Il s'appelle Dan Danger.
Il a les cheveux courts et frisés.
Il a les yeux verts.
Il aime le rugby.

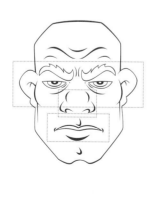

**On recherche**
Elle s'appelle Malika Mauvaise.
Elle a les cheveux noirs et raides.
Elle a les yeux marron.
Elle aime les chats.

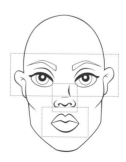

**1** Find and write the French for the English phrases below.

| il | he |
| elle | she |

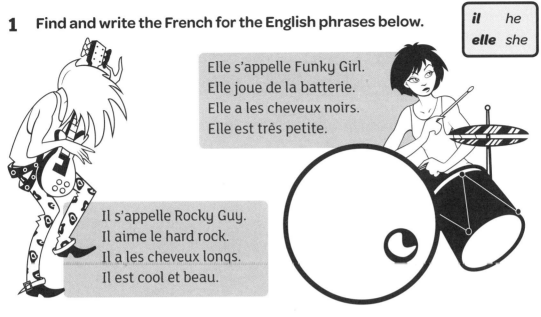

Elle s'appelle Funky Girl.
Elle joue de la batterie.
Elle a les cheveux noirs.
Elle est très petite.

Il s'appelle Rocky Guy.
Il aime le hard rock.
Il a les cheveux longs.
Il est cool et beau.

**1** He likes hard rock. _____
**2** She has black hair. _____
**3** He is cool and good looking. _____
**4** She is very small. _____
**5** She plays drums. _____
**6** He has long hair. _____

**2** Complete the sentences with words from the box below.

**1** Il s'appelle _____.
**2** Il a les cheveux _____.
**3** Il aime _____.
**4** Il joue _____.
**5** Il est _____.

| courts | Punky Jo | branché et charmant |
| | de la batterie | le punk |

**3** Now make up your own star and write three or four sentences about them.

_____
_____
_____
_____
_____

**1** Find the French words for the adjectives below in the *Vocabulaire* section on pages 10–11, then find the French words in the wordsearch.

**1** good-looking _____

**2** funny _____

**3** modest _____

**4** small _____

**5** cool _____

**6** trendy _____

**7** tall _____

**8** intelligent _____

**9** polite _____

**10** boring _____

**11** rubbish _____

**12** great _____

| b | r | a | n | c | h | é | j | e | i | s |
|---|---|---|---|---|---|---|---|---|---|---|
| u | s | e | s | t | l | g | r | a | n | d |
| e | f | i | l | m | o | d | e | s | t | e |
| s | d | e | n | o | t | r | e | p | e | r |
| b | e | a | u | e | a | d | r | ô | l | e |
| u | g | é | n | i | a | l | s | p | l | c |
| i | p | e | l | c | i | l | e | e | i | n |
| s | o | t | l | o | e | s | e | t | g | u |
| i | l | g | n | o | e | u | r | i | e | l |
| d | i | e | m | l | o | n | c | t | n | o |
| e | n | n | u | y | e | u | x | d | t | u |

**2** Crack the code for the missing vowels and write out the sentences below.

a = _____    e = _____    i = _____    o = _____    u = _____

**1** J'*$m@  l@s  *n$m*%x.

_____

**2** J@  n'*$m@  p*s  l@s  $ns@ct@s.

_____

**3** J'*$ d@s  l%n@tt@s  d@  s#l@$l.

_____

**4** J@  n'*$  p*s  d@  cl´@  %SB.

_____

**5** J'*$  l@s  y@%x  bl@%s.

_____

**6** $l  *  l@s  ch@v@%x  bl#nds.

_____

**1** Read the penfriend forum entries. Who would be an ideal penfriend for the people in sentences 1–8 below? Write the name.

**1**

Salut! Je suis petite et je suis intelligente. J'aime le sport mais je n'aime pas les chiens!
*Sonia*

**2**

Salut! J'aime la musique et je joue du piano. J'ai les cheveux courts et j'ai les yeux bleus.
*Hugo*

**3**

Je m'appelle Brad. Je suis américain. J'aime le foot et j'aime aussi jouer de la batterie.
*Brad*

**4**

Je m'appelle Justine. J'ai les yeux bleus et les cheveux longs et blonds. J'aime la musique rock et les films. J'ai un chat qui s'appelle Félix.
*Justine*

**1** I like music and cats. _____

**2** I would like an American penfriend. _____

**3** I like intelligent girls. _____

**4** I like boys with blue eyes. _____

**5** I like sport, but not dogs. _____

**6** I like music – especially the piano. _____

**7** I love watching films. _____

**8** I like playing the drums. _____

**2** Write an entry for the forum using these notes. Use language from the forum above.

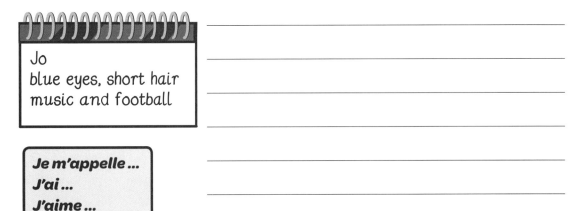

Jo
blue eyes, short hair
music and football

*Je m'appelle ...*
*J'ai ...*
*J'aime ...*

_____

_____

_____

_____

_____

**1** Record your levels for Module 1.

**2** Look at the level descriptors on pages 60–61 and set your targets for Module 2.

**3** Fill in what you need to do to achieve these targets.

| **Listening** | I have reached Level _____ in **Listening**.<br><br>In Module 2, I want to reach Level _____.<br><br>I need to _____<br><br>_____<br><br>_____<br><br>_____ |
|---|---|
| **Speaking** | I have reached Level _____ in **Speaking**.<br><br>In Module 2, I want to reach Level _____.<br><br>I need to _____<br><br>_____<br><br>_____<br><br>_____ |
| **Reading** | I have reached Level _____ in **Reading**.<br><br>In Module 2, I want to reach Level _____.<br><br>I need to _____<br><br>_____<br><br>_____<br><br>_____ |
| **Writing** | I have reached Level _____ in **Writing**.<br><br>In Module 2, I want to reach Level _____.<br><br>I need to _____<br><br>_____<br><br>_____<br><br>_____ |

## Mon autoportrait • *My self-portrait*

| | |
|---|---|
| les animaux (m pl) | animals |
| les araignées (f pl) | spiders |
| la capoeira | a Brazilian dance |
| les chats (m pl) | cats |
| les chiens (m pl) | dogs |
| le cinéma | cinema |
| les consoles de jeux (f pl) | games consoles |
| la danse | dancing |
| le foot | football |
| les gâteaux (m pl) | cakes |
| le hard rock | hard rock |
| l'injustice (f) | injustice |
| les insectes (m pl) | insects |
| les jeux vidéo (m pl) | video games |
| les livres (m pl) | books |
| la musique | music |
| les mangas (m pl) | mangas |
| les maths (f pl) | maths |
| les pizzas (f pl) | pizzas |
| la poésie | poetry |
| le racisme | racism |
| le rap | rap |
| le reggae | reggae |
| les reptiles (m pl) | reptiles |
| le roller | roller-skating |
| le rugby | rugby |
| le skate | skateboarding |
| les spaghettis (m pl) | spaghetti |
| le sport | sport |
| la tecktonik | tecktonik (dance) |
| la télé | TV |
| le tennis | tennis |
| le théâtre | theatre, drama |
| les voyages (m pl) | journeys |
| la violence | violence |

## Les opinions • *Opinions*

| | |
|---|---|
| j'aime | I like |
| je n'aime pas | I don't like |
| Tu aimes ...? | Do you like ...? |
| il/elle aime | he/she likes |
| Oui, j'aime ça. | Yes, I like that. |
| Non, je n'aime pas ça. | No, I don't like that. |
| | |
| Tu es d'accord? | Do you agree? |
| Je suis d'accord. | I agree. |
| Je ne suis pas d'accord. | I don't agree. |
| C'est ... | It's ... |
| génial | great |
| cool | cool |
| bien | good |
| ennuyeux | boring |
| nul | rubbish |
| essentiel | essential |
| important | important |
| Ce n'est pas bien. | It's not good. |

## Mon kit de survie • *My survival kit*

| | |
|---|---|
| j'ai | I have |
| je n'ai pas de | I don't have |
| tu as | you have |
| il/elle a | he/she has |
| un appareil photo | a camera |
| une barre de céréales | a cereal bar |
| un bâton de colle | a gluestick |
| des chips (f pl) | crisps |
| des clés (f pl) | keys |
| une clé USB | a memory stick |
| une gourde | a water bottle |
| des kleenex (m pl) | tissues |
| des lunettes de soleil (f pl) | sunglasses |
| un magazine | a magazine |
| un miroir | a mirror |

**contd.**

| | |
|---|---|
| un portable | *a mobile phone* |
| un portemonnaie | *a purse* |
| un paquet de mouchoirs | *a packet of tissues* |
| un sac | *a bag* |
| des surligneurs fluo (m pl) | *fluorescent highlighters* |
| une trousse | *a pencil case* |

## Moi et les autres • *Me and other people*

| | |
|---|---|
| je suis | *I am* |
| je ne suis pas | *I am not* |
| tu es | *you are* |
| il/elle s'appelle | *he/she is called* |
| il/elle est | *he/she is* |
| beau/belle | *good-looking* |
| branché(e) | *trendy* |
| charmant(e) | *charming* |
| cool | *cool* |
| curieux/curieuse | *curious* |
| de taille moyenne | *average height* |
| drôle | *funny* |
| généreux/généreuse | *generous* |
| gentil(le) | *nice* |
| grand(e) | *tall* |
| impatient(e) | *impatient* |
| intelligent(e) | *intelligent* |
| modeste | *modest* |
| petit(e) | *small* |
| poli(e) | *polite* |

## Les yeux et les cheveux • *Eyes and hair*

| | |
|---|---|
| j'ai | *I have* |
| tu as | *you have* |
| il/elle a | *he/she has* |
| mon ami(e) a | *my friend has* |
| J'ai... | *I have...* |
| les yeux bleus | *blue eyes* |
| les yeux verts | *green eyes* |
| les yeux gris | *grey eyes* |
| les yeux marron | *brown eyes* |
| J'ai... | *I have...* |
| les cheveux longs | *long hair* |
| les cheveux courts | *short hair* |
| les cheveux mi-longs | *medium-length hair* |
| frisés/raides | *curly/straight* |
| blonds/bruns | *blond/brown* |
| noirs/roux | *black/red* |

## Les musiciens • *Musicians*

| | |
|---|---|
| Il/Elle joue ... | *He/She plays ...* |
| de la batterie | *the drums* |
| de la guitare | *the guitar* |
| Il/Elle chante. | *He/She sings.* |
| Il/Elle a beaucoup de talent. | *He/She has a lot of talent.* |

## Les mots essentiels • *High-frequency words*

| | |
|---|---|
| et | *and* |
| aussi | *also* |
| mais | *but* |
| très | *very* |
| assez | *quite* |
| toujours | *always* |
| Qu'est-ce que ...? | *What ...?* |
| Qui ...? | *Who ...?* |

*Studio 1 © Pearson Education Limited 2010*

**1** Complete the picture timetable with the correct French words for the subjects.

| 08.30 | 09.25 | 10.40 | 11.35 | 13.30 | 14.25 | 15.40 | 16.35 |
|-------|-------|-------|-------|-------|-------|-------|-------|
| ① | ② | ③ | ④ | ⑤ | ⑥ | ⑦ | ⑧ |
| _____ | _____ | _____ | _____ | _____ | _____ | _____ | _____ |

l'histoire       le français       les sciences       l'informatique
  la musique       l'anglais       le théâtre       l'EPS

**2** Draw lines to match the symbols with the phrases.

1 ☹☹  2 ☹  3 😐  4 ☺  5 ☺☺

**a** j'aime   **b** j'aime assez   **c** je n'aime pas   **d** j'adore   **e** je déteste

**3** Look at the table and read the sentences below. Who is it, Camille or Enzo?

| | 🏴 | 🎵 | ⚽ | 🇫🇷 | 💻 |
|---|---|---|---|---|---|
| **Camille** | ☺☺ | ☺ | 😐 | ☹ | ☺ |
| **Enzo** | ☹☹ | 😐 | ☹ | ☺ | ☹☹ |

**1** J'aime la musique. _____

**2** Je n'aime pas l'EPS. _____

**3** J'adore l'anglais. _____

**4** Je déteste l'informatique. _____

**5** J'aime assez l'EPS et j'aime la musique. _____

**6** Je n'aime pas le français mais j'adore l'anglais. _____

| **et** | and |
|--------|-----|
| **mais** | but |

**4** Write two or three sentences on a separate page about which subjects you like and dislike.

**1** Find six sentences in the wordsnake and write them next to the correct symbols.

Lagéoc'estdifficilelefrançaisc'estgénialles
mathsc'estintéressantlatechnologiec'est
artsplastiquesc'estmarrantlesc'est
lelanglaisc'estdifficileles c'est
nulc'est
nceesc'estnul

1 ☹ _____

2 😊 _____

3 👍 _____

4 😊 _____

5 👎 _____

6 👍 _____

7 ☹ _____

**2** Read these forum entries, then answer the questions below.

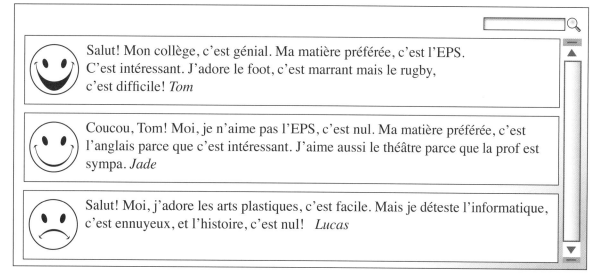

Salut! Mon collège, c'est génial. Ma matière préférée, c'est l'EPS. C'est intéressant. J'adore le foot, c'est marrant mais le rugby, c'est difficile! *Tom*

Coucou, Tom! Moi, je n'aime pas l'EPS, c'est nul. Ma matière préférée, c'est l'anglais parce que c'est intéressant. J'aime aussi le théâtre parce que la prof est sympa. *Jade*

Salut! Moi, j'adore les arts plastiques, c'est facile. Mais je déteste l'informatique, c'est ennuyeux, et l'histoire, c'est nul! *Lucas*

Who ...

**1** says their teacher is nice? _____

**2** says sport is their favourite subject? _____

**3** thinks football is fun? _____

**4** thinks IT is boring? _____

**5** says English is their favourite subject? _____

**6** thinks art is easy? _____

**7** thinks sports is rubbish? _____

**8** thinks history is rubbish? _____

**1** **Match the clock faces with the times.**

**1** Il est six heures dix. ☐

**2** Il est midi. ☐

**3** Il est onze heures moins cinq. ☐

**4** Il est quatre heures cinq. ☐

**5** Il est une heure vingt. ☐

**6** Il est neuf heures et demie. ☐

**7** Il est minuit. ☐

**8** Il est dix heures et quart. ☐

**9** Il est sept heures moins le quart. ☐

**10** Il est huit heures dix. ☐

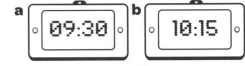

**2** **Draw the times mentioned in the note on each clock face.**

## jeudi

### J'adore le sport!

**1** Le lundi à neuf heures dix, j'ai football. ▭

**2** Le mardi à dix heures et quart, j'ai rugby. ▭

**3** Le mercredi à dix heures moins vingt, j'ai tennis. ▭

**4** Le jeudi à huit heures et demie, j'ai basket. ▭

**5** Le vendredi à onze heures et quart, j'ai volley. ▭

**6** Le samedi à midi dix, j'ai EPS. ▭

**1** **Complete the captions for the story with the phrases in the box.**

**Salut, je suis Nathan! Voici mon collège. C'est différent!**

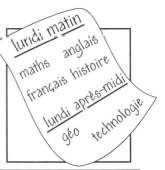

**1** On commence les cours _____
_____

**2** À la récré, _____
_____

**3** On a quatre cours le matin _____

**4** On finit les cours à _____
_____

**5** À midi, _____
_____

**6** L'après-midi, _____
_____

> *on joue au basket.*     *à huit heures dix.*     *trois heures et demie.*
>
> *on mange à la cantine.*     *et deux cours l'après-midi.*     *on bavarde et on rigole.*

**2** **Complete the English summary of the story.**

**1** At Nathan's school, lessons start at _____ .

**2** At _____, they chat and have a laugh.

**3** There are _____ lessons in the morning and two _____ .

**4** He finishes lessons at _____.

**5** At _____, they eat in the canteen.

**6** In the afternoon, they _____ .

# 5 Miam-miam! (pages 36–37)

**1** Complete the table with the words for the food items.

| masculine singular | feminine singular | plural |
|---|---|---|
| du | de la | des |
| 1 _____ | 2 _____ | 3 _____ |
| 4 _____ | 5 _____ | 6 _____ |
| 7 _____ | 8 _____ | 9 _____ |
| 10 _____ | 11 _____ | |

**Studio Grammaire**
The word for **some** is:
- **du** for masculine nouns
- **de la** for feminine nouns
- **des** for plural nouns

pizza      frites      poulet      glace à la fraise      fromage      haricots verts
mousse au chocolat      tarte au citron      crudités      poisson      yaourt

**2** Complete the note with the correct word for 'some' (du/de la/des) and the food item. (All the words are in exercise 1.)

Mes repas préférés

Le matin, je mange **1** _du yaourt_____ .

À midi, je mange **2** _____ avec **3** _____ .

Je mange aussi **4** _____ . Miam-miam!

À huit heures, je mange **5** _____ avec **6** _____ .

Je mange aussi **7** _____ et comme dessert **8** _____ .

**3** Replace the food items in exercise 2 to talk about what you eat at different times.

**1** Write a sentence for each set of symbols (1–10), choosing one phrase from column A and one from column B.

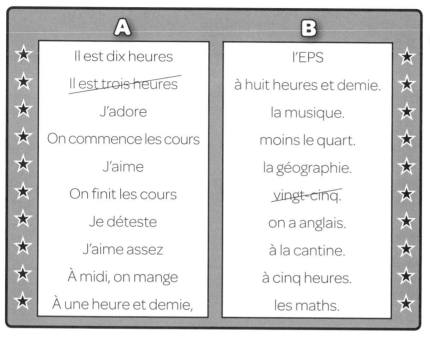

| A | B |
|---|---|
| Il est dix heures | l'EPS |
| ~~Il est trois heures~~ | à huit heures et demie. |
| J'adore | la musique. |
| On commence les cours | moins le quart. |
| J'aime | la géographie. |
| On finit les cours | ~~vingt-cinq.~~ |
| Je déteste | on a anglais. |
| J'aime assez | à la cantine. |
| À midi, on mange | à cinq heures. |
| À une heure et demie, | les maths. |

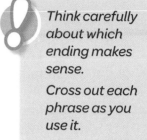

Think carefully about which ending makes sense.

Cross out each phrase as you use it.

**1** `03:25` Il est trois heures vingt-cinq. _____

**2** `09:45` _____

**3** _____

**4** _____

**5** _____

**6** _____

**7** _____

**8** _____

**9** _____

**10** _____

**1** **Read the poem aloud. Take care with your pronunciation and make sure the lines rhyme.**

> **1** Le lundi, à huit heures, on commence avec arts plastiques.
> Puis, à neuf heures dix, c'est informatique.
>
> **2** Les arts plastiques, c'est bien, la prof est sympa.
> Mais l'informatique, je n'aime pas ça.
>
> **3** Le matin, on a maths, français et histoire.
> J'aime l'anglais mais on a trop de devoirs.
>
> **4** L'après-midi, on a musique, c'est intéressant.
> On chante, on a orchestre, c'est très marrant!

**2** **Choose two pictures to go with each verse of the poem.
Write the number of the verse.**

a ☐    d `09:10` ☐    g ☐

b ☐    e ☐    h ☐

c ☐    f `08:00` ☐

**3** **Read the poem again and:**
- underline five school subjects
- circle at least three opinions
- find the French for:

**1** The teacher is nice. _____

**2** In the morning, we have maths. _____

**3** We have too much homework. _____

**4** We sing, we have orchestra. _____

1   Record your levels for Module 2.

2   Look at the level descriptors on pages 60–61 and set your targets for Module 3.

3   Fill in what you need to do to achieve these targets.

| **Listening** | I have reached Level _____ in **Listening**. |
| | In Module 3, I want to reach Level _____. |
| | I need to _____ |
| | _____ |
| | _____ |
| | _____ |
| **Speaking** | I have reached Level _____ in **Speaking**. |
| | In Module 3, I want to reach Level _____. |
| | I need to _____ |
| | _____ |
| | _____ |
| | _____ |
| | _____ |
| **Reading** | I have reached Level _____ in **Reading**. |
| | In Module 3, I want to reach Level _____. |
| | I need to _____ |
| | _____ |
| | _____ |
| | _____ |
| | _____ |
| **Writing** | I have reached Level _____ in **Writing**. |
| | In Module 3, I want to reach Level _____. |
| | I need to _____ |
| | _____ |
| | _____ |
| | _____ |

## Les matières • *School subjects* scolaires

| | |
|---|---|
| le français | *French* |
| le théâtre | *drama* |
| la géographie/la géo | *geography* |
| la musique | *music* |
| la technologie | *technology* |
| l'anglais (m) | *English* |
| l'EPS (f) | *PE* |
| l'histoire (f) | *history* |
| l'informatique (f) | *ICT* |
| les arts plastiques (m) | *art* |
| les mathématiques/ maths (f) | *maths* |
| les sciences (f) | *science* |

## Les opinions • *Opinions*

| | |
|---|---|
| Tu aimes/Est-ce que tu aimes …? | *Do you like …?* |
| J'aime … | *I like …* |
| J'aime beaucoup … | *I like … a lot.* |
| J'aime assez … | *I quite like …* |
| J'adore … | *I love …* |
| Je n'aime pas … | *I don't like …* |
| Je déteste … | *I hate …* |
| C'est ma matière préférée. | *It's my favourite subject.* |
| Moi aussi. | *Me too.* |
| T'es fou/folle. | *You're crazy.* |

## Les raisons • *Reasons*

| | |
|---|---|
| C'est … | *It's …* |
| intéressant | *interesting* |
| ennuyeux | *boring* |
| facile | *easy* |
| difficile | *difficult* |
| génial | *great* |
| nul | *rubbish* **contd.** |

| | |
|---|---|
| marrant | *fun/funny* |
| On a beaucoup de devoirs. | *We have a lot of homework.* |
| Le/La prof est sympa. | *The teacher is nice.* |
| Le/La prof est trop sévère. | *The teacher is too strict.* |

## Quelle heure est-il? • *What time is it?*

| | |
|---|---|
| Il est … | *It's …* |
| huit heures | *eight o'clock* |
| huit heures dix | *ten past eight* |
| huit heures et quart | *quarter past eight* |
| huit heures et demie | *half past eight* |
| neuf heures moins vingt | *twenty to nine* |
| neuf heures moins le quart | *quarter to nine* |
| midi | *midday* |
| minuit | *midnight* |
| midi/minuit et demi | *half past twelve (midday/midnight)* |

## L'emploi du • *The timetable* temps

| | |
|---|---|
| le lundi | *on Mondays* |
| le mardi | *on Tuesdays* |
| le mercredi | *on Wednesdays* |
| le jeudi | *on Thursdays* |
| le vendredi | *on Fridays* |
| À (neuf heures), j'ai (sciences). | *At (nine o'clock), I've got (science).* |
| le matin | *(in) the morning* |
| l'après-midi | *(in) the afternoon* |
| le mercredi après-midi | *on Wednesday afternoon* |
| la récréation/la récré | *breaktime* |
| le déjeuner | *lunch* |

## La journée • *The school day* scolaire

| | |
|---|---|
| On a cours (le lundi). | *We have lessons (on Mondays).* |
| On n'a pas cours ... | *We don't have lessons ...* |
| On commence les cours à ... | *We start lessons at ...* |
| On a quatre cours le matin. | *We have four lessons in the morning.* |
| On étudie neuf matières. | *We study nine subjects.* |
| À la récré, on bavarde et on rigole. | *At break, we chat and have a laugh.* |
| On mange à la cantine. | *We eat in the canteen.* |
| On finit les cours à ... | *We finish lessons at ...* |
| On est fatigués. | *We are tired.* |

## Qu'est-ce que • *What do you* tu manges? *eat?/What are you eating?*

| | |
|---|---|
| Je mange ... | *I eat/I'm eating ...* |
| du fromage | *cheese* |
| du poisson | *fish* |
| du poulet | *chicken* |
| du steak haché | *beefburger* |
| du yaourt | *yoghurt* |
| de la pizza | *pizza* |
| de la purée de pommes de terre | *mashed potatoes* |
| de la glace à la fraise | *strawberry ice-cream* |
| de la mousse au chocolat | *chocolate mousse* |
| de la tarte au citron | *lemon tart* **contd.** |

| | |
|---|---|
| des crudités | *chopped, raw vegetables* |
| des frites | *chips* |
| des haricots verts | *green beans* |
| Bon appétit! | *Enjoy your meal!* |

## Les mots • *High-frequency* essentiels *words*

| | |
|---|---|
| à | *at* |
| et | *and* |
| aussi | *also* |
| mais | *but* |
| très | *very* |
| trop | *too* |
| assez | *quite* |
| un peu | *a bit* |
| pourquoi? | *why?* |
| parce que | *because* |
| beaucoup (de) | *a lot (of)* |
| tous les jours | *every day* |
| aujourd'hui | *today* |
| pardon | *excuse me* |
| merci | *thank you* |
| Est-ce que (tu) ... ? | *Do (you) ... ?* |
| Qu'est-ce que (tu) ... ? | *What (do you) ... ?* |
| avec | *with* |

*Studio 1 © Pearson Education Limited 2010*

**1**

**1** Separate and write out the sentences next to the correct pictures.

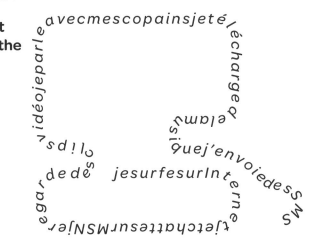

avecmescopainsjetéléchargedelamusiquej'envoiedesSMS
vidéojeparle jesurfesurInternetjetchattesurMSNjeregardedesclips

**1**

_____

_____

**4**
_____

_____

**2**
_____

_____

**5**
_____

_____

**3**

_____

_____

**6**
_____

_____

**2** Match Manon's English text messages (a–f) with the French sentences below (1–6).

**a** Int evry day

**b** txt all the time

**c** vid often

**d** mus stimes

**e** tlk to frnds evry eve

**f** MSN x 1 per wk

**1** Je parle avec mes copains tous les soirs. ☐

**2** Je surfe sur Internet tous les jours. ☐

**3** J'envoie des SMS tout le temps. ☐

**4** Je tchatte sur MSN une fois par semaine. ☐

**5** Je télécharge quelquefois de la musique. ☐

**6** Je regarde souvent des clips vidéo. ☐

| | |
|---|---|
| **tous les soirs** | every evening |
| **une fois par semaine** | once a week |
| **souvent** | often |
| **tout le temps** | all the time |
| **tous les jours** | every day |
| **quelquefois** | sometimes |

# Tu es sportif/sportive? (pages 52–53)

**1** Unjumble Alice Active's sentences and write the letter of the symbol which matches.

**1** ping-pong. joue Je au   _Je joue au ping-pong._   [d]

**2** joue hockey. Je au _____ ☐

**3** basket. Je au joue _____ ☐

**4** Je sur PlayStation. joue la _____ ☐

**5** rugby. joue au Je _____ ☐

**6** au joue tennis. Je _____ ☐

**7** joue volleyball. au Je _____ ☐

**8** Je foot. au joue _____ ☐

**a**   **b**   **c**   **d**

**e**   **f**   **g** 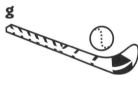  **h**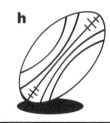

**2** Write sentences to say what the following sports stars play.

| **il joue** | he plays |
| **elle joue** | she plays |

**1** Emmanuel Adebayor    _Il joue au football._

**2** Marion Bartoli  _____

**3** Nando de Colo ⬤ _____

**4** Li Xue  _____

**5** Jo-Wilfried Tsonga  _____

**6** Fabien Barcella  _____

**1** Complete the crossword with *du/de la/de l'/des* and the correct activities.

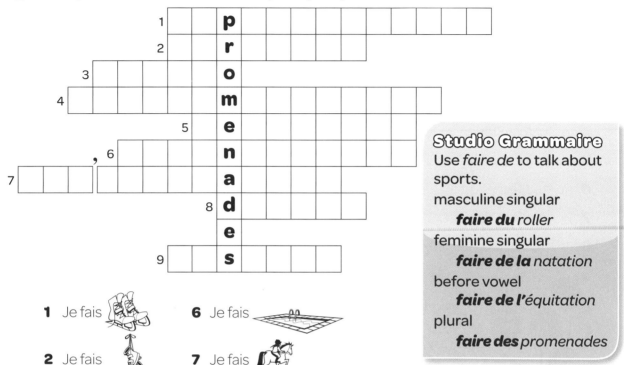

1 Je fais
2 Je fais
3 Je fais
4 Je fais
5 Je fais
6 Je fais
7 Je fais
8 Je fais
9 Je fais

| du vélo | de l'équitation | du skate |
| du roller | de la gymnastique | |
| du patin à glace | du judo | |
| de la danse | de la natation | |

**2** Read Suzie's blog. (Refer to the *Vocabulaire* on pages 30–31 if you need to.)

What does she do when …

**1** it's raining?
_____
_____

**2** it's winter?
_____
_____

**3** it's fine?
_____
_____

**4** it's summer?
_____
_____

**lundi 25 novembre**

**J'adore le sport!**

• En été, je fais de la natation et je fais du vélo avec mes copains.

• En hiver, je fais du patin à glace et je fais de la danse.

• Quand il fait beau, je fais de l'équitation ou je fais des promenades.

• Mais quand il pleut, je fais du judo ou de la gymnastique.

**Tu aimes le sport?**

**1** Crack the code for the missing vowels to find out what Alex Actif likes doing, then write out the sentences.

a = _____    e = _____    i = _____    o = _____    u = _____

**1** J'#€m@ @c*?t@r d@ l# m?s€q?@          _J'aime écouter de la musique._

**2** J'#€m@ j*?@r s?r m# Pl#ySt#t€*n          _____

**3** J'#€m@ r@g#rd@r l# t@l@v€s€*n          _____

**4** J'#€m@ r@tr*?v@r m@s c*p#€ns @n v€ll@          _____

**5** J'#€m@ f#€r@ l@s m#g#s€ns          _____

**6** J'#€m@ j*?@r #? f**tb#ll          _____

**2** Now answer these questions to say what you like doing using the expressions from exercise 1.

Qu'est-ce que tu aimes faire le soir?

_J'aime ..._ _____

Qu'est-ce que tu aimes faire le samedi après-midi?

_____

Qu'est-ce que tu aimes faire le samedi soir?

_____

Qu'est-ce que tu aimes faire le dimanche matin?

_____

Qu'est-ce que tu **n'**aimes **pas** faire le dimanche après-midi?

_Je n'aime pas ..._ _____

_____

> **le soir**
> in the evening
> **le samedi après-midi**
> on Saturday afternoons
> **le dimanche matin**
> on Sunday mornings

**1** Read the text, then note one thing in English about each of the headings on the clipboard below.

> Mon sportif préféré est Ian Mahinmi.
> Il joue au basket pour San Antonio Spurs (aux États-Unis).
> Il est français et il est très grand (2,11m!).
> Il s'entraîne tous les jours.
> Il fait de la musculation et il fait du jogging. C'est fatigant!
> Souvent, il a un match le samedi.
> Le soir, il aime jouer sur sa PlayStation et regarder la télé.

Sport Ian Mahinmi plays: **1** _____

Where he plays: **2** _____

Nationality: **3** _____

Height: **4** _____

How often he trains: **5** _____

What he does to train: **6** _____

When he often has a match: **7** _____

Evening activities: **8** _____

**2** Complete these sentences to write about another male sports star.

Mon sportif préféré est _____ . (name)

Il joue au _____ pour _____ . (sport and team)

Il est _____
et il est _____ . (nationality and size, e.g. *anglais, grand/petit*)

Il s'entraîne _____ (training, e.g. *trois fois par semaine/souvent*)

Souvent, il a un match le _____ (when match is)

Le soir, il aime _____ . (activity; evenings)

 *Look at the text in exercise 1 and use the vocabulary there to help write your sentences.*
*For help with spelling, look at the **Vocabulaire** on pages 30–31.*

**1** Give the co-ordinates (letter and die number) of these activities.

**1** when it's fine  ___C2___

**5** every evening ___

**2** on Sundays  ___

**6** when it's cold ___

**3** once a week ___

**7** when it's fine ___

**4** at weekends ___

**8** on Sundays ___

| | |  | | | | | |
|---|---|---|---|---|---|---|---|
| **A** | Tous les soirs, je/j' ... | surfe sur Internet | tchatte sur MSN | télécharge de la musique | envoie des e-mails | regarde des clips vidéo | envoie des SMS |
| **B** | Une fois par semaine, je ... | joue au football | joue au basket | joue au tennis | joue au hockey | joue au rugby | joue au volleyball |
| **C** | Quand il fait beau, je ... | fais du roller | fais de l'équitation | fais du vélo | fais des promenades | fais du skate | fais du parkour |
| **D** | Quand il fait froid, je ... | fais de la natation | fais du patin à glace | fais du judo | fais de la danse | fais de la gymnastique | fais des promenades |
| **E** | Le weekend, j'aime ... | retrouver mes copains en ville | faire les magasins | jouer sur ma PlayStation | écouter de la musique | téléphoner à mes copains | traîner avec mes copains |
| **F** | Le dimanche, j'aime ... | téléphoner à mes copines | faire les magasins | retrouver mes copains en ville | jouer sur ma PlayStation | traîner avec mes copains | écouter de la musique |

**2** Throw a die for each row and circle the expression of the number you throw.

**3** Write a few lines with your circled phrases on a separate page.

Tous les soirs, je télécharge de la musique et une fois par semaine, je joue au rugby.

If you can, add little words such as:

**et** *and*

**mais** *but*

___

___

**1** Read the magazine article and write the number of the French sentence next to the corresponding English sentence (a–i). (Note that two of the English sentences correspond to the same French sentence.)

## Le parkour: un sport extrême

**1** Enzo a dix-neuf ans.

**2** Le samedi, il aime faire du parkour.

**3** Il fait du parkour en groupe avec des copains.

**4** Il habite à Paris et il fait du parkour à la Défense (un quartier de Paris).

**5** Il n'aime pas le foot et il n'aime pas le rugby.

**6** Mais il aime les sports extrêmes: le parkour et le snowboard.

**7** Le soir, il aime jouer sur sa PlayStation et il aime écouter de la musique hip-hop.

**8** Le weekend, il aime traîner avec ses copains.

**a** Where he does his favourite sport  ☐ 4

**b** What he does on Saturdays  ☐

**c** What sports he does not like  ☐

**d** What types of sports he likes  ☐

**e** How old he is  ☐

**f** Who he does his favourite sport with  ☐

**g** What he does in the evenings  ☐

**h** Where he lives  ☐

**i** What he does at weekends  ☐

**2** Correct the mistake in each sentence below. Look carefully at the detail!

**1** Enzo is 18. _____

**2** He does parkour on Sundays. _____

**3** He does parkour with his brother. _____

**4** He lives in Bordeaux. _____

**5** He loves football and rugby. _____

**6** He likes parkour and dancing. _____

**7** In the afternoons, he plays on his PlayStation._____
_____

**8** On a Friday evening, he likes hanging out with his friends. _____
_____

1 Record your levels for Module 3.

2 Look at the level descriptors on pages 60–61 and set your targets for Module 4.

3 Fill in what you need to do to achieve these targets.

| **Listening** | I have reached Level _____ in **Listening**. |
| | In Module 4, I want to reach Level _____. |
| | I need to _____ |
| | _____ |
| | _____ |
| | _____ |
| **Speaking** | I have reached Level _____ in **Speaking**. |
| | In Module 4, I want to reach Level _____. |
| | I need to _____ |
| | _____ |
| | _____ |
| | _____ |
| **Reading** | I have reached Level _____ in **Reading**. |
| | In Module 4, I want to reach Level _____. |
| | I need to _____ |
| | _____ |
| | _____ |
| | _____ |
| **Writing** | I have reached Level _____ in **Writing**. |
| | In Module 4, I want to reach Level _____. |
| | I need to _____ |
| | _____ |
| | _____ |
| | _____ |

## Les ordinateurs et les portables • *Computers and mobile phones*

| | |
|---|---|
| Qu'est-ce que tu fais ... | *What do you do/ are you doing ...* |
| avec ton ordinateur? | *on your computer?* |
| avec ton portable? | *on your mobile phone?* |
| Je joue. | *I play/I'm playing games.* |
| Je surfe sur Internet. | *I surf/I'm surfing the net.* |
| Je tchatte sur MSN. | *I chat/I'm chatting on MSN.* |
| Je regarde des clips vidéo. | *I watch/I'm watching video clips.* |
| Je télécharge de la musique. | *I download/I'm downloading music.* |
| J'envoie des SMS. | *I text/I'm texting.* |
| Je parle avec mes ami(e)s/mes copains/mes copines. | *I talk/I'm talking to my friends/mates.* |
| J'envoie des e-mails. | *I send/I'm sending e-mails.* |

## Le sport • *Sport*

| | |
|---|---|
| Je joue ... | *I play ...* |
| au basket | *basketball* |
| au billard | *billiards/snooker* |
| au foot(ball) | *football* |
| au hockey | *hockey* |
| au rugby | *rugby* |
| au tennis | *tennis* |
| au tennis de table/ au ping-pong | *table tennis* |
| au volleyball | *volleyball* |
| à la pétanque/ aux boules | *boules* |
| sur la Wii | *on the Wii* |
| Tu es sportif/ sportive? | *Are you sporty?* |
| Je suis (assez) sportif/sportive. | *I'm (quite) sporty.* |
| Je ne suis pas (très) sportif/sportive. | *I'm not (very) sporty.* |
| Mon sportif/Ma sportive préféré(e) est ... | *My favourite sportsman/ sportswoman is ...* |

## La fréquence • *Frequency*

| | |
|---|---|
| quelquefois | *sometimes* |
| souvent | *often* |
| tous les jours | *every day* |
| tous les soirs | *every evening* |
| tout le temps | *all the time* |
| de temps en temps | *from time to time* |
| une fois par semaine | *once a week* |
| deux fois par semaine | *twice a week* |

## Qu'est-ce que tu fais? • *What do you do?*

| | |
|---|---|
| Je fais du judo. | *I do judo.* |
| Je fais du parkour. | *I do parkour.* |
| Je fais du patin à glace. | *I go ice-skating.* |
| Je fais du roller. | *I go roller-skating.* |
| Je fais du skate. | *I go skateboarding.* |
| Je fais du vélo. | *I go cycling.* |
| Je fais de la danse. | *I do dance.* |
| Je fais de la gymnastique | *I do gymnastics.* |
| Je fais de la natation. | *I go swimming.* |
| Je fais de l'équitation. | *I go horse-riding.* |
| Je fais des promenades. | *I go for walks.* |

# Vocabulaire

## Quand? • When?

| | |
|---|---|
| en été | in summer |
| en hiver | in winter |
| quand il fait beau | when it's good weather |
| quand il fait chaud | when it's hot |
| quand il pleut | when it rains |
| quand il fait froid | when it's cold |

## Qu'est-ce que tu aimes faire? • What do you like doing?

| | |
|---|---|
| le soir | in the evenings |
| le weekend | at the weekends |
| le samedi matin | on Saturday mornings |
| le samedi après-midi | on Saturday afternoons |
| le samedi soir | on Saturday evenings |
| J'aime … | I like … |
| … retrouver mes amis en ville. | … meeting my friends in town. |
| … regarder la télévision (la télé). | … watching TV. |
| … jouer sur ma PlayStation. | … playing on my PlayStation. |
| … écouter de la musique. | … listening to music. |
| … faire les magasins. | … going shopping. |
| … faire du sport. | … doing sport. |
| … jouer au football. | … playing football. |
| … traîner avec mes copains. | … hanging out with my mates. |
| … téléphoner à mes copines. | … phoning my mates. |

## Qu'est-ce qu'ils font? • What do they do?

| | |
|---|---|
| Il fait de la lutte. | He does wrestling. |
| Elle fait du jogging. | She goes jogging. |
| Elle a gagné le match. | She won the match. |
| Il est champion régional. | He's the regional champion. |
| Elle s'entraîne (trois) fois par semaine. | She trains (three) times a week. |
| Ils font de la musculation. | They do weight training. |
| Elles écoutent de la musique. | They listen to music. |
| Ils jouent au foot. | They play football. |
| Elles regardent la télé. | They watch TV. |
| Ils sont des clowns. | They're clowns. |
| Elles aiment le R&B. | They like R&B. |

## Les mots essentiels • High-frequency words

| | |
|---|---|
| sur | on |
| en (été) | in (summer) |
| quand | when |
| tout/toute/tous/ toutes | all |
| par (deux fois par semaine) | per (twice a week) |
| d'habitude | usually |
| d'abord | first of all |
| ensuite | then/next |
| puis | then/next |

**1** **Complete the sentences with the correct words.**

**1** Dans ma ville, il y a un _____

et des _____.

**2** Dans mon village, il y a un _____

et une _____.

**3** Dans ma ville, il y a une _____

mais il n'y a pas de _____.

**4** Dans mon village, il y a un _____

mais il n'y a pas de _____.

> centre de loisirs
> marché
> patinoire
> centre commercial
> magasins
> piscine
> église
> château

> **Il y a …**
> There is/There are …
> **Il n'y a pas de …**
> There isn't …

**2** **Read the sentences and look at the table. Who is speaking?**

| |  | | | | | | | |
|---|---|---|---|---|---|---|---|---|
| **Ahmed**  | | ✔ | | ✘ | ✔ | ✔ | ✔ | ✔ |
| **Camille**  | ✔ | | ✔ | ✔ | | ✘ | | ✘ |
| **Nathan**  | ✘ | ✔ | ✘ | | ✘ | | ✔ | |

**1** Il y a une église et des cafés. <u>Ahmed</u>
**2** Il y a un marché. _____
**3** Il y a un stade et une piscine. _____
**4** Il n'y a pas de château. _____
**5** Il n'y a pas de piscine. _____
**6** Il y a des cafés et un stade. _____
**7** Il y a des magasins mais il n'y a pas de patinoire. _____
**8** Il y a une patinoire mais il n'y a pas de stade. _____

**1** Read Dracula's note giving directions to his castle and draw arrows on the map to show the way. Is the castle A, B or C?

à droite    à gauche    tout droit    au carrefour

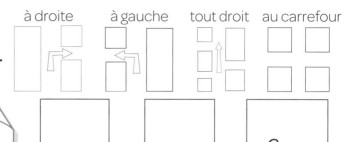

> Pour arriver à mon château:
> **1** Tu vas tout droit.
> **2** Tu tournes à droite au café.
> **3** Tu tournes à gauche à la piscine.
> **4** Au carrefour, c'est mon château!

A    C

B

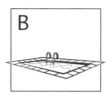

Le château, c'est _____.

Commence ici

**2** Fill in the crossword by completing these sentences. Use the words in the box below to help.

Pour arriver à ma grotte magique:

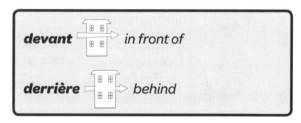

**devant** in front of

**derrière** behind

**1** Tu tournes à ⬜ .

**2** Tu passes 🏠➡ le café.

**3** Tu passes 🏠➡ le cinéma.

**4** Tu tournes à 🏠 .

**5** Tu vas ⬜ droit.

**6** Au ⬜ tu vas tout droit.

Voilà, c'est ma grotte magique!

|   | 1 | **d** |  |  |  |  |
|---|---|-------|--|--|--|--|
| 2 |   | **r** |  |  |  |  |
| 3 |   | **a** |  |  |  |  |
| 4 |   | **c** |  |  |  |  |
| 5 |   | **u** |  |  |  |  |
|   |   | **l** |  |  |  |  |
| 6 |   | **a** |  |  |  |  |

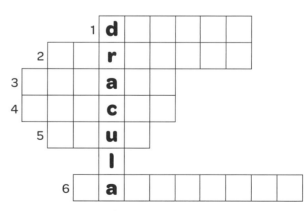

| tout | devant | derrière |
|------|--------|----------|
| carrefour | gauche | droite |

**1** Unjumble the letters to find the correct frequency words.

1 ( h'eudiabtd ) , _____ je vais à la piscine.

2 ( soeqequlufi ) , _____ je vais au restaurant.

3 ( lemonnetmar ) , _____ le samedi, je vais
à la patinoire.

4 ( sout els kwesdnee ) , _____ je vais au cinéma.

> **quelquefois**
> sometimes
> **tous les weekends**
> every weekend
> **d'habitude**
> usually
> **normalement**
> normally

**2** Read the forum entries, and complete the table below with the details.

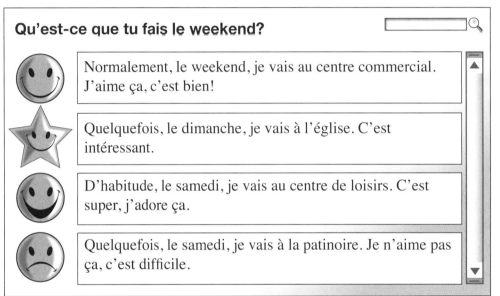

**Qu'est-ce que tu fais le weekend?**

Normalement, le weekend, je vais au centre commercial. J'aime ça, c'est bien!

Quelquefois, le dimanche, je vais à l'église. C'est intéressant.

D'habitude, le samedi, je vais au centre de loisirs. C'est super, j'adore ça.

Quelquefois, le samedi, je vais à la patinoire. Je n'aime pas ça, c'est difficile.

| | How often? | When? | Where? | 😊 or ☹ |
|---|---|---|---|---|
| 1 | normally | | | 😊 |
| 2 | | | | |
| 3 | | | | |
| 4 | | | | |

**3** Change the places in the sentences in exercise 2 to say where you go at the weekend. Continue on a separate page.

**1** Match the French speech bubbles 1–6 with the English translations a–f.

1 *Oui, je veux bien.*

a *Good idea!*

2 *Non, merci.*

b *No, thanks.*

3 *Non, je n'ai pas envie.*

c *No, I don't want to.*

4 *Bonne idée!*

d *No, it's boring.*

5 *D'accord.*

e *OK.*

6 *Non, c'est ennuyeux!*

f *Yes, I want to.*

**2** Write Marine's invitations from the box below under the correct picture.
Choose a reply from exercise 1 for Tom to give each time.

**1** Marine: _____

_____

Tom: _____

**2** Marine: _____

_____

Tom: _____

**3** Marine: _____

_____

Tom: _____

**4** Marine: _____

_____

Tom: _____

*Alors, tu veux surfer sur Internet?*    *Tu veux aller à la patinoire samedi soir?*

*Tu veux aller à la piscine samedi?*    *Tu veux aller au cinéma samedi après-midi?*

**1** **Complete these texts with phrases from the box below.**

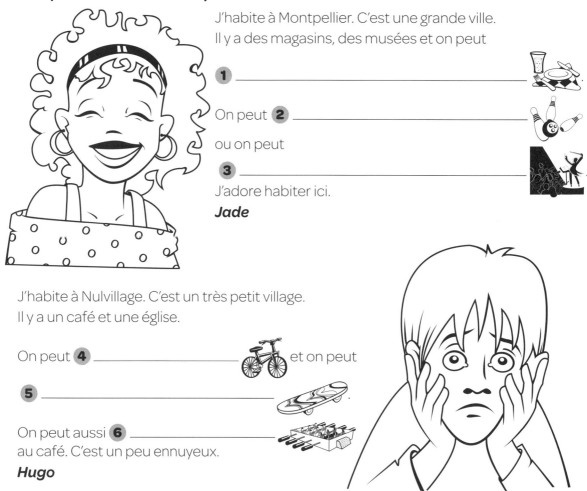

J'habite à Montpellier. C'est une grande ville.
Il y a des magasins, des musées et on peut

**1** _____

On peut **2** _____

ou on peut

**3** _____

J'adore habiter ici.

***Jade***

J'habite à Nulvillage. C'est un très petit village.
Il y a un café et une église.

On peut **4** _____ et on peut

**5** _____

On peut aussi **6** _____
au café. C'est un peu ennuyeux.

***Hugo***

| | | |
|---|---|---|
| *jouer au babyfoot* | *aller au concert* | *faire du skate* |
| *manger au restaurant* | *faire du vélo* | *faire du bowling* |

**2** **Answer these questions about the texts in exercise 1.**

Who ...

**1** lives in a village? _____
**2** loves where they live? _____
**3** mentions a church? _____
**4** mentions shops? _____

**5** lives in a big town? _____
**6** says it's a bit boring? _____
**7** mentions museums? _____
**8** can visit a café? _____

**3** **Now write three or four sentences on a separate page about what there is to do where you live.**

_____

_____

**1** **Complete the text using the words in the box at the bottom of the page. Write the words in the crossword.**

Moi, j'habite à Superville!

Il y a une (**3↓**) 

et une (**3→**)  .

Il y a beaucoup de (**5→**)  .

J' (**2↓**)  ça .

Mais il n'y a pas de (**4→**)  .

et il n'y a pas de (**5↓**)  .

Le (**9↓**) 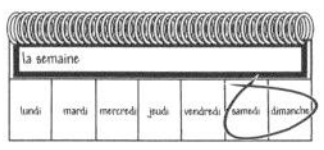 je vais aux magasins.

Quelquefois, je vais au (**1→**)  le samedi soir.

À Superville, c'est (**7→**)  .

On peut faire du (**6↓**) 

ou on peut faire du (**8→**)  .

On peut aussi (**10→**)  au restaurant.

| | | | | | | |
|---|---|---|---|---|---|---|
| *aime* | *musée* | *château* | *magasins* | *bien* | *weekend* | *vélo* |
| | *piscine* | *patinoire* | *manger* | *bowling* | *cinéma* | |

Studio 1 © Pearson Education Limited 2010

**1** Read the texts about the celebrities in the jungle and match each picture (a–g) to a text (1–3).

a ☒ 1
b ☒
c ☐
d ☐
e ☐
f ☒
g

**1** Salut! En ce moment, j'habite dans la jungle avec dix célébrités. C'est pour une émission de télé. Il n'y a pas de café ou de restaurant. Il n'y a pas de piscine, il n'y a pas de télé et il n'y a pas d'hôtel, seulement l'hôtel de la jungle! C'est ennuyeux.

**2** Moi, je suis aussi dans la jungle. Normalement, le matin, je fais de la natation. J'adore ça! Dans la jungle, on peut manger du riz, du riz, du riz tous les jours, beurk! Je n'aime pas ça! C'est nul.

**3** Moi aussi, je suis dans la jungle! On peut faire des promenades ou on peut jouer au foot. Le soir, quelquefois, on chante. C'est super!

**2** Read the text again and:
- <u>underline</u> three opinions (boring, rubbish, great)
- 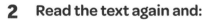 circle the words for *morning* and *evening*
- highlight the words for *normally* and *sometimes*.

**3** Find the French for these words and phrases.
1 at the moment _____
2 celebrities _____
3 TV programme _____
4 the jungle hotel _____
5 rice _____
6 we sing _____

Use strategies to find new words.
- *You may not know the word for 'rice' for example, but you do know that* manger *means 'to eat', so look for* manger *and see if this helps you.*
- *Look for words which look like the English words.*

**1** Record your levels for Module 4.

**2** Look at the level descriptors on pages 60–61 and set your targets for Module 5.

**3** Fill in what you need to do to achieve these targets.

| **Listening** | I have reached Level _____ in **Listening**. <br><br> In Module 5, I want to reach Level _____. <br><br> I need to _____ <br><br> _____ <br><br> _____ <br><br> _____ |
| --- | --- |
| **Speaking** | I have reached Level _____ in **Speaking**. <br><br> In Module 5, I want to reach Level _____. <br><br> I need to _____ <br><br> _____ <br><br> _____ <br><br> _____ |
| **Reading** | I have reached Level _____ in **Reading**. <br><br> In Module 5, I want to reach Level _____. <br><br> I need to _____ <br><br> _____ <br><br> _____ <br><br> _____ |
| **Writing** | I have reached Level _____ in **Writing**. <br><br> In Module 5, I want to reach Level _____. <br><br> I need to _____ <br><br> _____ <br><br> _____ <br><br> _____ |

## Là où j'habite • *Where I live*

| | |
|---|---|
| Qu'est-ce qu'il y a … ? | *What is there … ?* |
| Il y a … | *There is …* |
| un café | *a café* |
| un centre commercial | *a shopping centre* |
| un centre de loisirs | *a leisure centre* |
| un château | *a castle* |
| un cinéma | *a cinema* |
| une église | *a church* |
| un hôtel | *a hotel* |
| un marché | *a market* |
| un parc | *a park* |
| un restaurant | *a restaurant* |
| un stade | *a stadium* |
| une patinoire | *an ice rink* |
| une piscine | *a swimming pool* |
| des magasins | *shops* |
| des musées | *museums* |
| Il n'y a pas de … | *There isn't a … /* |
| | *There are no …* |

## Les directions • *Directions*

| | |
|---|---|
| Pardon … | *Excuse me …* |
| Où est … ? | *Where is … ?* |
| Où sont … ? | *Where are … ?* |
| C'est … | *It's …* |
| à gauche | *left* |
| à droite | *right* |
| tout droit | *straight on* |
| au carrefour | *at the crossroads* |
| entre | *between* |
| derrière | *behind* |
| devant | *in front of* |

## Les attractions • *Attractions*

| | |
|---|---|
| le bateau pirate | *the pirate ship* |
| le manège | *the merry-go-round* |
| le Cheval de Troie | *the Trojan horse* |
| le petit train | *the little train* |
| le toboggan géant | *the giant slide* |
| le trampoline magique | *the magic trampoline* |
| la grotte mystérieuse | *the mysterious grotto* |
| la rivière enchantée | *the enchanted river* |
| la soucoupe volante | *the flying saucer* |
| l'hôtel | *the hotel* |
| les autos tamponneuses | *the dodgems* |
| les chaises volantes | *the flying chairs* |

## Les opinions • *Opinions*

| | |
|---|---|
| Tu aimes ta ville/ Tu aimes ton village? | *Do you like your town/ Do you like your village?* |
| Je pense que … | *I think that …* |
| À mon avis, … | *In my view, …* |
| C'est … | *It's …* |
| bien | *good* |
| super | *great* |
| joli | *pretty* |
| intéressant | *interesting* |
| ennuyeux | *boring* |
| vraiment nul | *really rubbish* |
| trop petit | *too small* |
| J'aime ça. | *I like that.* |
| J'adore ça. | *I love that.* |
| Tu es d'accord? | *Do you agree?* |
| Oui, je suis d'accord. | *Yes, I agree.* |
| Non, je ne suis pas d'accord. | *No, I disagree.* |

## Les adverbes de fréquence • *Expressions of frequency*

| | |
|---|---|
| d'habitude | *usually* |
| normalement | *normally* |
| quelquefois | *sometimes* |
| tous les weekends | *every weekend* |

## Coucou! • *Hi there!*

| | |
|---|---|
| je veux | *I want* |
| tu veux | *you want* (singular, informal) |
| il/elle veut | *he/she wants* |
| on veut | *we want* |
| nous voulons | *we want* |
| vous voulez | *you want* (plural/ formal) |
| ils/elles veulent | *they want* |
| Bonne idée! | *Good idea!* |
| Super! | *Fabulous!* |
| Génial! | *Great!* |
| D'accord. | *OK.* |
| Oui, c'est super top. | *Yes, that's really great.* |
| Oui, je veux bien. | *Yes, I want to.* |
| Non, je n'ai pas envie. | *No, I don't want to.* |
| Si tu veux. | *If you want to.* |
| Non, merci. | *No, thanks.* |

## Qu'est-ce qu'on peut faire à ... ? • *What can you do at/in ... ?*

| | |
|---|---|
| je peux | *I can* |
| tu peux | *you can* (singular, informal) |
| il/elle/on peut | *he/she can/we can* |
| nous pouvons | *we can* |
| vous pouvez | *you can* (plural/ formal) |
| ils/elles peuvent | *they can* |
| aller au concert | *go to a concert* |
| faire du bowling | *go bowling* |
| faire du roller | *go roller-skating* |
| faire du skate | *go skateboarding* |
| faire du vélo | *go cycling* |
| faire une promenade en barque | *go on a boat trip* |
| jouer au babyfoot et au flipper au café | *play table football and pinball at the café* |
| manger au restaurant | *eat at a restaurant* |
| visiter les jardins | *visit gardens* |
| visiter les monuments | *visit monuments* |
| visiter les musées | *visit museums* |

## Les mots essentiels • *High-frequency words*

| | |
|---|---|
| assez | *quite* |
| mais | *but* |
| ou | *or* |
| puis | *then* |
| très | *very* |

*Studio 1 © Pearson Education Limited 2010*

**1** Find the countries in the word snake and copy them out under the correct picture.

**Nous allons ...**

auxÉtats-UnisenFrance
enGrèceenItalie
auPortugalenEspagne

 **1**

 **2**

 **3**

_____

**4**

**5**

**6**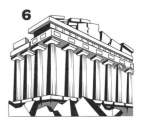

_____

**2** Look at the two English notes, then write in French about the two types of holiday the families usually go on. Use the expressions in the box below to help you.

**1**
Go to the
Go
Visit
Go

**2**
Go to the
Go
Do
Go to a

| | |
|---|---|
| *Nous faisons du camping.* | *Nous allons au restaurant.* |
| *Nous visitons des monuments.* | *Nous faisons de la natation.* |
| *Nous faisons de la rando.* | *Nous allons à la mer.* |
| *Nous faisons des activités sportives.* | *Nous allons à la montagne.* |

**1** _____

_____

**2** _____

**1** Read what Kalim Kool does to get ready each day and number the pictures in the order they are mentioned in his text.

> Alors, d'abord, je me douche et je me rase.
> Puis je me lave les dents.
> Ensuite, je m'habille.
> Puis je me brosse les cheveux et je me fais une crête, c'est important, ça!
> Finalement, je me regarde dans la glace.
> J'ai rendez-vous avec ma copine, Camille Cool!

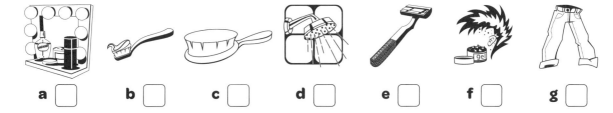

a ☐    b ☐    c ☐    d ☐    e ☐    f ☐    g ☐

**2** Use the table to say what Camille Cool does in the morning.

| Je | me | maquille. |
|----|----|-----------|
| | | parfume. |
| | | regarde dans la glace. |
| | | douche. |
| | | lave les dents. |
| | | brosse les cheveux. |

Remember, reflexive verbs include an extra word:

**Je me prépare.**
I get ready.

**Il se rase.**
He has a shave.

**1**

Je me lave les dents.

**2**

_____

**3**

_____

**4**

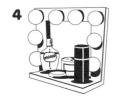

_____

**5**

_____

**6**

_____

*Studio 1 © Pearson Education Limited 2010*

**1** **Read the menu and look at the prices charged (1–8).**
   **What item did each person order?**

### Menu

| | |
|---|---|
| un café | 2,70€ |
| un thé | 2,50€ |
| un chocolat chaud | 2,80€ |
| un jus d'orange | 2,95€ |

### Café du Port

| | |
|---|---|
| un sandwich au fromage | 3,90€ |
| un croquemonsieur | 3,50€ |
| une crêpe | 3,40€ |
| une glace | 3,60€ |

**1** trois euros soixante _____

**2** deux euros quatre-vingts _____

**3** trois euros quatre-vingt-dix _____

**4** trois euros cinquante _____

**5** deux euros quatre-vingt-quinze _____

**6** deux euros cinquante _____

**7** trois euros quarante _____

**8** deux euros soixante-dix _____

**2** **Complete the dialogue with the correct words for the food and drink.**
   **Use words from the menu above.**

■ *Bonjour monsieur, vous désirez?*

● *Je voudrais*  **1** _____ *et*

**2** _____ .

■ *Et comme boisson?*

● **3** _____ , *s'il vous plaît.*

■ *Et pour vous, mademoiselle?*

● *Pour moi,* 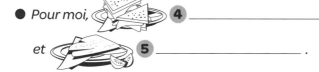 **4** _____

*et*  **5** _____ .

■ *Et comme boisson?*

● **6** _____ , *s'il vous plaît.*

> **Comme boisson?**
> What would you
> like to drink?

**1** Complete the crossword.

**Studio Grammaire**
To say what you are **going** to do, use *aller* + an infinitive.
*Je vais jouer.* I'm going to play.
*Je vais danser.* I'm going to dance.

Crossword with vertical word **espagne** spelled out:
1 — e
2 — s
3 —
 — p
4 —
5 — a / g
6 — n
7 — e

**1** Je vais

**4** Je vais

**7** Je vais

**2** Je vais

**5** Je vais

**3** Je vais

**6** Je vais

> *faire du karaoké*
> *faire de la voile*
> *danser*
> *nager dans la mer*
> *faire de la planche à voile*
> *rester au lit*
> *aller à la pêche*

**2** Read about Samuel's and Chloé's holiday plans. Draw three small symbols to show what each of them is going to do.

> Pendant les grandes vacances, je vais aller aux États-Unis.
> Je vais aller à la pêche et je vais nager dans la mer. Le soir,
> je vais faire du karaoké. J'adore ça!
> *Samuel*

> Pendant les vacances, je vais rester en France. Je vais rester
> au lit jusqu'à onze heures, puis je vais retrouver mes copains.
> Je vais jouer au basket. J'adore le sport!
> *Chloé*

**1** **Read the texts and choose two pictures to match each one.**

> Moi, je voudrais être joueur de basket professionnel. Je voudrais habiter dans une grande maison.
>
> *Mathis*

> Un jour, je voudrais aller en Australie. Je voudrais aller à la plage et faire du surf.
>
> *Hugo*

> Moi, je voudrais être chanteuse professionnelle. Je voudrais avoir une voiture très cool comme une Porsche.
>
> *Camille*

**a**

**b**

**c**

**d**

**e**

**f**

**2** **Write a sentence for each picture, choosing one item from each column of the table. Each item can be used only once.**

**1**  *Je voudrais être danseuse.*

**4**  _____

**2**  _____

**5**  _____

**3**  _____

**6**  _____

| Je voudrais | aller | une voiture très cool. |
| | ~~être~~ | le tour du monde. |
| | avoir | aux États-Unis. |
| | être | footballeur. |
| | faire | au Canada. |
| | aller | ~~danseuse.~~ |

**1** Complete the number sequences. You will find all the numbers you need hidden in the wordsnake.

**1** trente, quarante, cinquante,

_____

**2** cinquante-cinq, soixante-cinq,

_____

**3** soixante, soixante-dix, quatre-vingts,

_____

**4** quarante, cinquante, soixante,

_____

**5** soixante-cinq, soixante-dix, soixante-quinze,

_____

**6** vingt, trente, quarante, _____

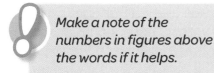

*Make a note of the numbers in figures above the words if it helps.*

**2** Work out the code to find the sentences. The symbols give you a clue.

**1** 14 15 21 19    1 12 12 15 14 19    5 14    5 19 16 1 7 14 5

Nous allons en Espagne. _____

**2** 14 15 21 19    6 1 9 19 15 14 19    4 5    12 1    14 1 20 1 20 9 15 14

_____

**3** 10 5    13 5    2 18 15 19 19 5    12 5 19    3 8 5 22 5 21 24

_____

**4** 10 5    13 5    12 1 22 5    12 5 19    4 5 14 20 19

_____

**5** 10 5    22 15 21 4 18 1 9 19    21 14    3 8 15 3 15 12 1 20    3 8 1 21 4

_____

**6** 10 5    22 15 21 4 18 1 9 19    21 14 5    7 12 1 3 5    ì    12 1    6 18 1 9 19 5

_____

| A | B | C | D | E | F | G | H | I | J | K | L | M | N | O | P | Q | R | S | T | U | V | W | X | Y | Z |
|---|---|---|---|---|---|---|---|---|---|---|---|---|---|---|---|---|---|---|---|---|---|---|---|---|---|
|   |   |   |   |   |   |   |   |   |   |   |   |   |   |   |   |   |   |   |   |   |   |   |   |   |   |

**1** Read the chat forum about holidays and answer the questions below.

**Studio Grammaire**

- Use je **vais** + verb for what you're going to do.
  *Je **vais aller** en Italie.*
- Use *nous* + verb ending in *–ons* for what you and your family usually do.
  *Normalement **nous allons** en Grèce.*

---

**Les vacances, à ton avis, c'est bien ou c'est nul?** 🔍

Salut! Moi, j'adore les vacances! Cette année, je vais aller au Portugal. Je vais nager dans la mer et je vais faire de la planche à voile. C'est super! *Kiddo76*

Pour moi, les vacances, c'est nul. Normalement, nous restons en France et nous allons à la montagne, dans les Pyrénées. Nous faisons du camping et nous faisons de la rando. J'aime le camping mais je n'aime pas la rando. *Buzz.21*

---

Who ...

**1** talks about what they **usually** do? _____

**2** talks about what they are **going** to do this year? _____

**3** does not like holidays? _____

**4** loves holidays? _____

**5** is going to do beach activities? _____

**6** says they like one activity but don't like another? _____

**2** **Find the French for these sentences.**

**1** We stay in France. _____

**2** We go to the mountains. _____

**3** I'm going to go windsurfing. _____

**4** We go walking. _____

**5** I'm going to swim in the sea. _____

**6** I love holidays! _____

**3** **Complete this English summary of Buzz.21's entry.**

For me, holidays are **1** r_____. Usually, we stay in **2** F_____ and we go to the

**3** m_____, in the Pyrenees. We go **4** c_____ and we also go **5** w_____ .

I **6** l_____ camping, but I **7** d_____ l_____ walking.

# J'avance

**1**   Record your levels for Module 5.

**2**   Look at the level descriptors on pages 60–61 and set your targets for Module 6.

**3**   Fill in what you need to do to achieve these targets.

| **Listening** | I have reached Level _____ in **Listening**. <br> In Module 6, I want to reach Level _____. <br> I need to _____ <br> _____ <br> _____ <br> _____ |
| --- | --- |
| **Speaking** | I have reached Level _____ in **Speaking**. <br> In Module 6, I want to reach Level _____. <br> I need to _____ <br> _____ <br> _____ <br> _____ |
| **Reading** | I have reached Level _____ in **Reading**. <br> In Module 6, I want to reach Level _____. <br> I need to _____ <br> _____ <br> _____ <br> _____ |
| **Writing** | I have reached Level _____ in **Writing**. <br> In Module 6, I want to reach Level _____. <br> I need to _____ <br> _____ <br> _____ <br> _____ |

## Les vacances • *Family holidays* en famille

| | |
|---|---|
| Tous les ans ... | *Every year ...* |
| Normalement ... | *Normally ...* |
| nous allons ... | *we go ...* |
| en France | *to France* |
| en Espagne | *to Spain* |
| en Grèce | *to Greece* |
| en Italie | *to Italy* |
| aux États-Unis | *to the USA* |
| au Portugal | *to Portugal* |
| à la mer | *to the seaside* |
| à la montagne | *to the mountains* |
| à la campagne | *to the countryside* |
| Nous allons au restaurant. | *We go to a restaurant.* |
| Nous visitons des monuments. | *We visit monuments.* |
| Nous faisons du camping. | *We go camping.* |
| Nous faisons de la rando. | *We go hiking.* |
| Nous faisons de la natation. | *We go swimming.* |
| Nous faisons des activités sportives. | *We do sports activities.* |
| Nous restons en France. | *We stay in France.* |

## Je me prépare • *I get myself ready*

| | |
|---|---|
| Je me douche. | *I have a shower.* |
| Je me fais une crête. | *I make my hair spiky.* |
| Je me parfume. | *I put on perfume/ aftershave.* |
| Je m'habille. | *I get dressed.* |
| Je me brosse les cheveux. | *I brush my hair.* |
| Je me lave les dents. | *I clean my teeth.* |
| Je me regarde dans la glace. | *I look in the mirror.* |
| Je me rase. | *I shave.* |
| Je me maquille. | *I put on make-up.* |

## Les nombres et l'argent • *Numbers and money*

| | |
|---|---|
| quarante | *40* |
| quarante-cinq | *45* |
| cinquante | *50* |
| cinquante-cinq | *55* |
| soixante | *60* |
| soixante-cinq | *65* |
| soixante-dix | *70* |
| soixante-quinze | *75* |
| quatre-vingts | *80* |
| quatre-vingt-cinq | *85* |
| quatre-vingt-dix | *90* |
| quatre-vingt-quinze | *95* |
| Tu as combien d'argent? | *How much money have you got?* |
| J'ai dix euros cinquante. | *I've got ten euros fifty (cents).* |

# Vocabulaire

## Au café • *At the café*

| | |
|---|---|
| J'ai faim et j'ai soif. | *I'm hungry and I'm thirsty.* |
| Vous désirez? | *What would you like?* |
| Je voudrais ... | *I'd like ...* |
| un café | *a black coffee* |
| un café-crème | *a white coffee* |
| un thé (au lait/ au citron) | *a tea (with milk/ lemon)* |
| un chocolat chaud | *a hot chocolate* |
| un coca | *a cola* |
| un jus d'orange | *an orange juice* |
| un Orangina | *an Orangina* |
| une limonade | *a lemonade* |
| un sandwich au fromage | *a cheese sandwich* |
| un sandwich au jambon | *a ham sandwich* |
| un croquemonsieur | *a toasted cheese and ham sandwich* |
| une crêpe | *a pancake* |
| une glace (à la vanille/à la fraise/ au chocolat) | *a (vanilla/strawberry/ chocolate) ice-cream* |

## Quels sont tes rêves? • *What are your dreams?*

| | |
|---|---|
| Je voudrais aller ... | *I'd like to go ...* |
| à Paris | *to Paris* |
| en Australie | *to Australia* |
| au Canada | *to Canada* |
| aux États-Unis | *to the USA* |
| Je voudrais ... | *I'd like ...* |
| être footballeur professionnel | *to be a professional football player (masculine)* |
| être danseuse professionnelle | *to be a professional dancer (feminine)* |
| habiter dans une grande maison | *to live in a big house* |
| avoir une voiture très cool | *to have a really cool car* |
| faire le tour du monde | *to travel around the world* |
| rencontrer mon acteur/mon actrice préféré(e) | *to meet my favourite actor/actress* |

## Qu'est-ce que tu vas faire? • *What are you going to do?*

| | |
|---|---|
| Pendant les vacances ... | *During the holidays ...* |
| je vais ... | *I'm going to ...* |
| aller à la pêche | *go fishing* |
| danser | *dance* |
| faire de l'accrobranche | *do treetop adventures* |
| faire du karaoké | *do karaoke* |
| faire de la voile | *go sailing* |
| faire de la planche à voile | *go windsurfing* |
| nager dans la mer | *swim in the sea* |
| rester au lit | *stay in bed* |
| retrouver mes copains/copines | *get together with my mates* |

## Les mots essentiels • *High-frequency words*

| | |
|---|---|
| pendant | *during* |
| combien (de)? | *how much?/how many?* |
| à | *to/in (+ town)* |
| en | *to/in (+ feminine country)* |
| au | *to/in (+ masculine country)* |
| aux | *to/in (+ plural country)* |
| d'abord | *first* |
| ensuite | *next* |
| puis | *then* |
| finalement | *finally* |
| quelquefois | *sometimes* |

**1** Match the words with the part-pictures of the animals. Write the words beside the pictures.

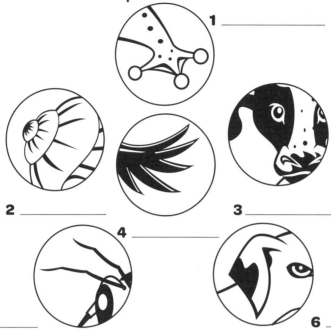

la vache
le chien
l'aigle
l'abeille
la grenouille
l'escargot

1 _____

2 _____

3 _____

4 _____

5 _____

6 _____

**2** Read the six texts below about what these animals can see. Find out one thing about each animal.

**1** **La vache** ne voit pas les couleurs. Elle voit bien sur les côtés et un peu derrière elle, mais elle ne voit pas très bien juste devant elle.

**2** **Le chien** ne voit pas très bien les couleurs. En particulier, il ne voit pas le rouge. Il voit assez bien sur les côtés et il voit très bien les mouvements.

**3** **L'aigle** voit très bien le rouge, le vert et le bleu. Quand il vole dans le ciel, il voit facilement ses proies. Il ne vole pas la nuit.

**4** **L'abeille** ne voit pas très bien les choses qui sont près d'elle. L'abeille ne voit pas le rouge mais elle voit des couleurs que les humains ne voient pas.

**5** **La grenouille** ne voit pas très bien les formes mais elle voit très bien les mouvements. Elle voit aussi très bien les couleurs.

**6** **L'escargot** ne voit presque rien. Il peut détecter la lumière et les mouvements qui sont près de lui.

• You won't understand everything, but see what you can understand in two minutes.
• Use the help box below.
• Find the words from the help box in the text and underline them.

**il /elle voit** *it sees*
**il/elle voit très bien** *it sees very well*
**il ne voit pas** *it does not see*
**sur les côtés** *to the sides*
**les humains (m)** *humans*
**les mouvements (m)** *movement*
**ne voit presque rien** *hardly sees anything*

**3** **Write the number of each animal.**

Which one:

**a** sees red, green and blue well? _____

**b** can't see red? (two of them) _____

**c** sees movement very well?
(two of them) _____

**d** can hardly see anything? _____

**e** sees colours that humans can't? _____

**f** sees well to its sides? _____

**g** does not see colours? _____

**h** can detect movement? _____

**4** **Complete these summaries of three of the animals using exercise 2 to help you.**

**1** The cow _____ colours. It sees well _____ of it.

**2** The dog does not see _____ very well and it does not see _____ . It sees _____ very well.

**3** The frog does not see _____ very well, but it sees colours _____ .

**5** **Translate the sentences into French using the grid below.**

**1** Cats don't see very well. _____

**2** Cats can detect movement. _____

**3** Pigeons see very well. _____

**4** Pigeons see colours well. _____

**5** Owls see in black and white. _____

| Le chat ne | voit très bien. |
|---|---|
| Le chat peut | bien les couleurs. |
| Le pigeon | voit pas très bien. |
| Le pigeon voit | en noir et blanc. |
| Le hibou voit | détecter les mouvements. |

le pigeon

le chat

le hibou

**1** **Read the poem out loud. Be careful with your pronunciation – some of the lines rhyme!**

**1** Mon animal préféré
C'est sûrement le tigre
Il est orange, noir avec un peu de blanc,
Il court vite et j'adore ses mouvements
On le trouve en Inde et aussi en Asie
Mais l'homme est bien sûr son ennemi.

**2** Mon acteur préféré
C'est Robert Pattinson
Il est beau, il est gentil
Il est charmant, il est poli
J'adore voir ses films au cinéma
Il est cool et il est vraiment sympa.

**3** Mon groupe préféré
C'est certainement Muse
Ils jouent bien des instruments
Ils ont beaucoup de talent
J'écoute leur rock à la radio
Et j'adore regarder leurs clips vidéo.

**4** Mon sportif préféré
C'est le footballeur Gaël Kakuta
Il joue pour Chelsea en Angleterre
En poste milieu-gauche il est vraiment super
Il est très jeune et très rapide, comme joueur
Et il est extrêmement talentueux, comme footballeur.

**2** **Match each verse to a picture.**

**a**  **b**  **c**  **d**

**e**  **f**  **g**  **h**

**3** Read the poem again and write the number of the verse in which these points are mentioned.

**a** Someone who plays for an English team ☐

**b** Someone who is charming ☐

**c** Something which is orange, black and white ☐

**d** Someone who is young and very fast ☐

**e** Someone who watches video clips ☐

**f** Someone who is handsome ☐

**g** Someone who likes how something moves ☐

**h** Someone who listens to music on the radio ☐

**4** Now read the instructions and create your own poem in the frame below.

- Choose verse 2, 3 or 4 and copy the first line.
- Change the second line to talk about your favourite actor/group/sportsperson.
- Change the words in the last four lines to describe them. For example, for the actor, change the adjectives.
- Add a fact about the person, or say why you like them.
- You don't have to make the lines rhyme, but if you want to, try using the rhyming words in the box below.

→ *Mon acteur préféré ...*
→ *C'est Daniel Radcliffe*

→ *Il est beau et curieux,*
   *Il est super, il est généreux*

Mon _____ préféré

C'est _____

Il est _____ et il est _____

Il _____

J'adore _____

**rhyming words**
*charmant / intelligent*
*curieux / ennuyeux / généreux*
*marrant / intéressant*
*petit / poli*
*vélo / beau*
*musique / fantastique*

**1** Read the instructions below to colour in this Matisse-style picture.

## Le Poisson

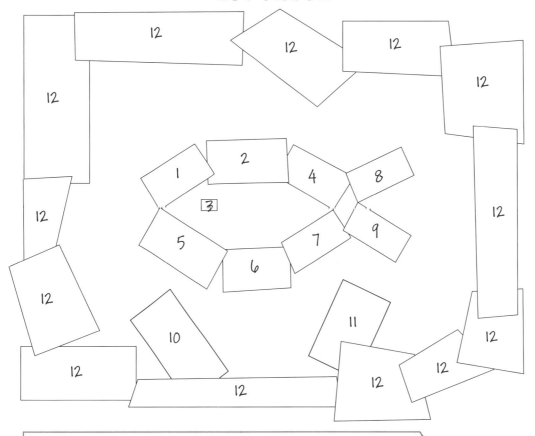

Colorie le numéro:

| | | | |
|---|---|---|---|
| **1** *en jaune* | **4** *en orange* | **7** *en vert* | **10** *en orange* |
| **2** *en noir* | **5** *en vert* | **8** *en rouge* | **11** *en jaune* |
| **3** *en bleu* | **6** *en bleu* | **9** *en rose* | **12** *en rouge* |

***colorie*** colour in

- This painting is in the style of Henri Matisse.
- Matisse was a French painter who lived from 1869 to 1954.
- He loved using bright colours, partly inspired by living in the hot climate of the south of France.
- Later in his career, he created pictures from cut-out pictures – collages of brightly painted pieces of paper, such as the picture *L'escargot* in the shape of a snail.
- What creature can you see in the Matisse-style picture on this page?
- Later, try to create your own Matisse-style picture by following the instructions in exercise 3.

**2** Read Aurore's note and answer the questions below with true (T) or false (F).

> J'aime le tableau *Le Poisson*. À mon avis c'est intéressant et vraiment bien. J'aime les couleurs et j'adore surtout le poisson au centre. Personnellement, je préfère les tableaux de Rousseau, mais j'aime bien le style de Matisse aussi.
> *Aurore*

**1** Aurore doesn't like the painting at all.

**2** She thinks that it's interesting.

**3** She likes the colours but she doesn't like the fish.

**4** She prefers paintings by Rousseau.

**5** She doesn't like the style of Matisse.

**3** Follow these instructions to create your own Matisse-style picture. There is space for this on the next page.

- Choisis un animal; par example un chat, un hamster.

- Dessine la forme de l'animal.

- Dessine des rectangles.
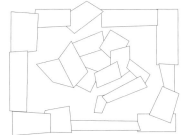

- Colorie les rectangles par exemple: en rouge, en orange, en vert, en jaune, en rose, en bleu.

- Voilà une image dans le style de Matisse!

Create your own Matisse-style picture here.

**Record your levels for Module 6.**

| | | |
|---|---|---|
| **Listening** | | I have reached Level _____ in **Listening**. |
| **Speaking** | Salut! | I have reached Level _____ in **Speaking**. |
| **Reading** | | I have reached Level _____ in **Reading**. |
| **Writing** | | I have reached Level _____ in **Writing**. |

**Look back through your workbook and note down the level you achieved in each skill by the end of each Module.**

| | Listening | Speaking | Reading | Writing |
|---|---|---|---|---|
| **1** C'est perso | | | | |
| **2** Mon collège | | | | |
| **3** Mes passetemps | | | | |
| **4** Ma zone | | | | |
| **5** 3 … 2 … 1 Partez! | | | | |
| **6** Studio découverte | | | | |

**You now have a record of your progress in French for the whole year.**

*Studio 1 © Pearson Education Limited 2010*

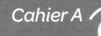

## Attainment Target 1: Listening and responding

| Level 1 | I can understand some familiar spoken words and phrases. |
|---|---|
| Level 2 | I can understand a range of familiar spoken phrases. |
| Level 3 | I can understand the main points of short spoken passages and note people's answers to questions. |
| Level 4 | I can understand the main points of spoken passages and some of the detail. |
| Level 5 | I can understand the main points and opinions in spoken passages about different topics. I can recognise if people are speaking about the future **OR** the past as well as the present. |

## Attainment Target 2: Speaking

| Level 1 | I can say single words and short phrases. |
|---|---|
| Level 2 | I can answer simple questions and use set phrases. |
| Level 3 | I can ask questions and use short phrases to answer questions about myself. |
| Level 4 | I can take part in conversations. I can express my opinions. I can use grammar to change phrases to say something new. |
| Level 5 | I can give short talks, in which I express my opinions. I can take part in conversations giving information, opinions and reasons. I can speak about the future **OR** the past as well as the present. |

# Attainment Target 3:
# Reading and responding

| Level 1 | I can understand familiar words and phrases. |
|---------|----------------------------------------------|
| Level 2 | I can understand familiar phrases.<br>I can read aloud familiar words and phrases.<br>I can use a vocabulary list to check meanings. |
| Level 3 | I can understand the main points and people's answers to questions in short written texts. |
| Level 4 | I can understand the main points in short texts and some of the detail.<br>Sometimes I can work out the meaning of new words. |
| Level 5 | I can understand the main points and opinions in texts about different topics.<br>I can recognise if the texts are about the future **OR** the past as well as the present. |

# Attainment Target 4:
# Writing

| Level 1 | I can write or copy single words correctly. |
|---------|---------------------------------------------|
| Level 2 | I can copy short sentences correctly and write some words from memory. |
| Level 3 | I can answer questions about myself.<br>I can write short phrases from memory.<br>I can write short sentences with help. |
| Level 4 | I can write short texts on familiar topics.<br>I can use grammar to change phrases to write something new. |
| Level 5 | I can write short texts on a range of familiar topics.<br>I can write about the future **OR** the past as well as the present. |